KB060582

걱정신호등에
빨간불이
켜져요!

걱정신호등에 빨간불이 켜져요!

글 박유미 / 그림 젬제이

부슬 부슬
퐁 퐁 퐁

비가 오는 소리에 잠을 자던 화동이가
졸린 눈을 비비며 일어나요.

오늘,
열심히 연습한 발표회가 있다는 게 생각났어요.

깜빡 깜빡

화동이의 눈이 갑자기 깜빡거리기 시작해요.

어젯밤 꾼 꿈이 떠올라요.

화동이는 꿈속에서 무대에 올라갔는데 너무 떨렸어요.

쿵쿵쿵 심장 뛰는 소리가 너무 커져서 선생님의 이야기가 하나도 들리지 않았어요. 연습한 것도 다 잊어버렸어요.

친구들을 보고 따라하려는데 손이 덜덜덜 떨려서 마음대로 움직일 수 없었어요. 혼자서 가만히 서 있었어요.

그 모습을 보고 사람들은 깔깔 웃었어요.

지금도 얼굴이 빨개질 만큼 진짜 같아요.

'정말 아무것도 생각이 안 나면 어떡하지?'

깜빡깜빡 깜빡깜빡.

화동이는 걱정을 할 때마다 눈을 자꾸 깜빡거려요.

아무리 눈을 부릅뜨고 깜빡이지 않으려고 해봐도 마음처럼 안돼요.

'이러다 엄마가 보면 혼날 것 같은데…'

"왜 자꾸 바보처럼 눈을 깜빡이니? 엄마가 하지 말라고 했잖아!"

그 순간 엄마의 목소리가 들리는 것 같아요.

엄마한테 들킬까 봐 걱정이 되자 눈이 더 많이 깜빡거려요.

이때 동생이 화동이 방에 들어와요.

어제 유치원에서 상으로 받은 로봇을 보여주며 자랑을 해요.

"이것 봐. 이렇게 하면 자동차로 변신하고 이렇게 하면 다시 로봇으로 변신하는

거야. 쓔우웅~~핑핑"

엄마가 말해요.

"지후가 어제 발표회에서 1등 해서 받은 거야. 화동아 너도 잘 할 수 있지!"

엄마의 말에 자신 있게 말해요.

"내가 지후보다 훨씬 더 잘할 거에요!"

화동이가 발표회에서 출 춤을 동생에게 보여주어요.

"이것 봐! 형 잘하지?"

하지만 춤을 추다가 그만 미끄러지고 말아요.

"킥킥킥"

동생이 웃는 소리가 들리지만 아무렇지도 않은 척 말해요.

"야! 너 로봇 때문에 넘어졌잖아. 빨리 치워."

사실은 너무 부끄럽고 내일 정말 실수 할까 봐 걱정돼요.

깜빡 깜빡 깜빡

불안하고 걱정되는 마음을 들키지 않으려고 참고 있으니 눈이 더 많이

깜빡거려요.

그때 동생이 방을 여기저기 뒤적여요.

"형, 어제 새로 산 자동차 어디 있어? 그것 좀 줘."

순식간에 방이 뒤죽박죽돼요. 그 순간 꾹 참았던 걱정과 화가 갑자기 화산처럼

터져 나와요. 그만 동생에게 소리를 질러요.

"내꺼 만지지 마! 너도 있잖아!"
"으앙!"

동생이 울음을 터트려요.

"너희들 또 싸우니? 화동아, 엄마가 동생하고 사이좋게 지내랬지!"

"지후가 먼저 자꾸 방을 어지럽혔단 말이에요."

"동생은 너보다 어리잖아. 그러면 하지 말라고 잘 말하면 돼지. 왜 소리를 질러!

화를 잘 내서 화동이니!"

엄마는 동생의 편만 들고 화동이에게 화를 내요. 엄마야 말로 화를 잘 내서

화동이 엄마인가 봐요.

방은 엉망이 되었어요.

엉망이 된 방을 보자 발표회도 방처럼 엉망이 될 것 같아 걱정이 되요.

"안 되겠어. 모두 제자리에 정리해야지!"

화동이는 수리수리 주문을 외우며 시작해요.

"자동차도 색깔대로 수리수리 착착착!"

"색연필도 색깔대로 수리수리 쏙쏙쏙!"

"동화책도 색깔대로 수리수리 딱딱딱!"

수리수리는 무섭고 걱정되는 마음을 없애주는 화동이만의 특별한 주문이에요.

모든 물건이 똑바로 제자리에 있어야 해요.

그렇지 않으면 걱정하던 나쁜 일이 일어날 것 같아요.

수리수리 주문에 맞추어 방을 정리하고 나니 안심이 되요.

하지만 아무리 수리수리 주문을 외워도 화동이에게는 새로운 걱정거리가 생겨요. 이번에는 발표회에 늦을까 봐 걱정이 되요.

"엄마, 늦었어요, 안 늦었어요? 늦으면 안 되는데…."

"아직 안 늦었어. 걱정 마."

"진짜지요?"

"응. 괜찮아."

"정말이지요?"

"너, 또! 엄마가 방금 전에 괜찮다고 말했잖아. 이제 물어보지 마!"

그런데 발표회에서 쓸 모자가 안 보여요.

"엄마, 큰일 났어요. 모자를 잃어버렸나 봐요. 어떡해요?"

"엄마가 아까 가방에 넣어두었어."

"정말요? 진짜 넣어둔 것 맞지요?"

"그만 좀 해! 도대체 몇 번을 물어보는 거야? 무슨 걱정이 그렇게 많니!"

화동이가 걱정이 돼서 다시 물어보자 엄마는 화를 내요.

속상한 화동이의 눈에 눈물이 가득 고여 금방이라도 뚝 떨어질 것 같아요.

"화동아, 많이 속상하지."

이때 귀여운 새 봄이가 말해요. 봄이는 화동이한테만 보이는 비밀 친구이지요.

하지만 화동이는 봄이도 엄마처럼 화를 낼까 봐 무서워 아무 말도 못해요.

"꿈처럼 나쁜 일이 생길까 봐 걱정되는구나. 눈도 자꾸 깜빡거리고… 힘들지."

봄이는 화를 내지 않고 화동이를 따뜻하게 위로해줘요.

"응 봄이야. 자꾸만 걱정되고, 눈을 깜빡이지 않으려고 노력해도 안 돼.

어떡하지?"

"화동아, 나도 네 마음 알아. 나는 엄마가 독수리에게 잡혀가는 꿈을 꾼 적이

있었어. 엄마에게 이야기했더니 꿈처럼 나쁜 일은 일어나지 않는다고 걱정하지

말라고 했어. 그래도 나는 엄마가 사라질까 봐 겁이 났어. 마음이 콩닥콩닥하고

날개가 부들부들 떨렸지. 그날은 너무 무서워서 엄마 옆에만 딱 붙어 있었어…"

"진짜? 너도?"

"응. 걱정거리가 자꾸 떠올라서 밤에 잠을 못 잘 때도 있어."

"하하하하하~!"

봄이의 이야기에 화동이는 웃음이 나요. 자기처럼 걱정이 많은 친구가 또 있다는

사실은 처음 알았거든요.

"나만 그런 줄 알았는데…."

"나도 내가 걱정이 많은 걸 너한테 들킬까 봐 무서웠어."

"정말?"

"응. 우리는 비밀 친구니까. 이것도 비밀! 화동아, 내가 걱정되는 마음을 편안하게 해주는 좋은 방법을 하나 알고 있어."

"진짜? 뭔데?"

"먼저 숨을 한번 크게 쉬는 거야. 그리고 제일 좋아하는 것을 떠올려 봐. 나는 푸른 바다 위를 날아다니는 상상을 해. 그러면 걱정돼서 콩닥거리던 마음이 편안해져."

"우와. 나도 한번 해볼게."

화동이는 봄이의 말대로 숨을 크게 쉬어 보아요. 시원한 파도가 치고 따뜻한 햇살이 내리쬐는 바닷가에 누워 낮잠을 자는 상상을 해요. 몸에 스르르 힘이 빠지면서 솔솔 잠이 와요. 이제 발표회에서도 잘 할 수 있을 것 같아요.

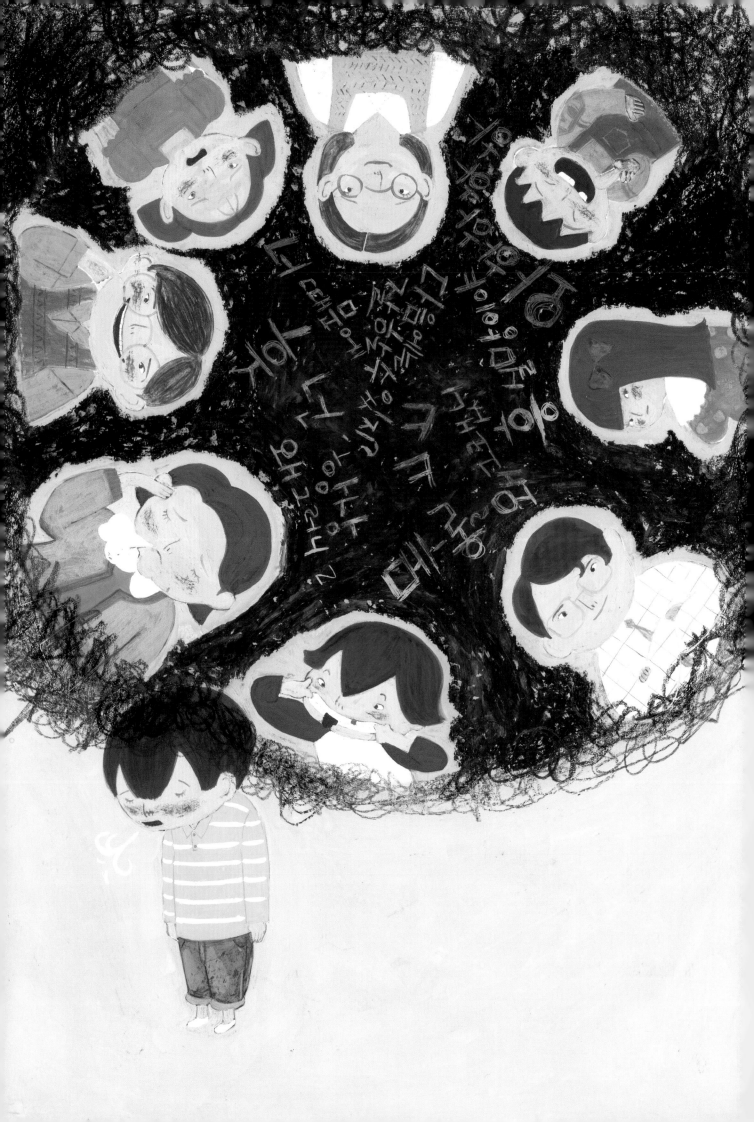

"떨지 말고 잘 해야지!"

용기를 내어 연습을 하려는데, 또 다시 마음속에 걱정 구름이 뭉게뭉게

피어올라요.

'나만 잘 못 해서 틀리면 어떡하지? 선생님이 그것도 못한다고 혼을 낼 거야.

그럼 친구들이 놀릴 거고…. 엄마·아빠는 나를 창피해 할 거야.'

화동이는 걱정 구름으로 둘러싸여요.

깜빡, 깜빡, 깜빡, 깜빡, 깜빡.

눈이 또 깜빡거리기 시작해요.

마음이 급해진 화동이는 봄이를 불러요.

"봄이야 나 정말 바보 같지. 네가 알려준 방법대로 해봤는데도 자꾸자꾸 걱정이

돼. 내가 이렇게 하루 종일 걱정하는 걸 친구들이 알면 분명히 나를 겁쟁이라고

놀릴 거야."

"화동아, 내가 아주 중요한 비밀을 말해 줄게.

네가 그렇게 걱정을 많이 하는 건 바로 걱정신호등 때문이야!"

"걱정신호등?"

"응, 우리 머릿속에는 기쁘고, 슬프고, 걱정하는 마음을 나타내는 신호등들이 있어.

이런 기쁨신호등, 슬픔신호등, 걱정신호등에 반짝하고 불이 켜지면 우리는 기쁨, 슬픔,

걱정하는 마음을 느끼는 거야."

"정말?"

"응. 위험한 일이 있으면 걱정신호등에 빨간불이 켜져서 우리에게 위험하다는 것을 알려줘. 그러면 심장은 쿵쾅거리고, 손발에 힘이 들어가서 돌처럼 굳어져. 눈, 코, 입이 마음대로 움직이거나, 눈을 깜빡이기도 해."

"왜?"

"위험하니까 빨리 도망치거나 준비를 하라고 우리 몸이 신호를 보내는 거야. 그런데 걱정신호등이 고장 나서 빨간불이 너무 자주 켜지면 심장이 더 빨리 뛰고, 몸이 더 뻣뻣해지거나 눈이 더 많이 깜빡거려서 우리는 위험하지 않은데도 위험한 것처럼 느끼게 돼. 그래서 자꾸 걱정이 돼서 안전한지 물어보고 걱정을 없애려고 주문을 외우는 거지."

"그러면 내가 걱정을 많이 하는 게 걱정신호등이 잘못 켜져서야?"

"맞아. 네 잘못이 아니야. 걱정신호등 때문이야!"

봄이의 이야기에 화동이는 마음이 편해져요.

하지만 화동이는 걱정신호등이 계속 말썽을 부릴까 봐 아직 안심이 안돼요.

"봄이야, 걱정신호등이 자꾸 빨간불만 켜면 어떡해?"

"그러면 엉터리 신호등아 지금은 빨간불이 아니야 라고 말하면 되지!"

"이히히히~!"

봄이의 말에 화동이는 드디어 웃음을 터뜨려요.

그러다가 화동이는 자꾸만 엉뚱한 신호를 켜는 얄미운 걱정신호등을 놀려주고

싶어졌어요. 별명을 정해 실컷 불러주고 싶은데 떠오르는 것이 너무 많아요.

'겁쟁이 코딱지'

'엉터리 신호등'

'걱정 대장'

'귀찮은 녀석'

'완전 멍청이'

이제 화동이는 별명을 정하지 못해 걱정이에요. 별명 하나만 같이 지어줄래요?

걱정신호등에 빨간불이 켜져요!

펴낸날 2018년 3월 23일

지은이 박유미
그림 잼재이
펴낸이 주계수 | **편집책임** 윤정현 | **꾸민이** 전은정

펴낸곳 밥북 | **출판등록** 제 2014-000085 호
주소 서울시 마포구 월드컵북로 1길 30 동보빌딩 301호
전화 02-6925-0370 | **팩스** 02-6925-0380
홈페이지 www.bobbook.co.kr | **이메일** bobbook@hanmail.net

© 박유미, 2018.
ISBN 979-11-5858-388-0 (77810)

※ 이 도서의 국립중앙도서관 출판시도서목록(CIP)은 e-CIP 홈페이지(http://www.nl.go.kr/cip)에서 이용하실 수 있습니다. (CIP 2018007972)